# Le sourire d'Halloween

Sylvie Poillevé
Gérard Franquin

Père Castor
Flammarion

Quand commence
la nuit d'Halloween,
partout des petits bruits
résonnent…

“Hou, hou…”
fredonne le fantôme.
“Clap, clap, clap…”
battent les ailes
des chauves-souris.
“Frotti-frotta…”
font les pattes du chat noir
sur les feuilles d’automne.

Dans le potager,
les citrouilles s'apprêtent
pour cette grande fête,
en se parant
de leurs plus horribles
grimaces.

Soudain des cris éclatent
dans la nuit :
–Non, non et non !
hurle Citrouillette.

Et elle entonne :

*Les grimaces, ça m'agace.*

*Pour moi, faire peur,*

*c'est l'horreur.*

*Je suis une citrouille*

*qui sourit.*

*Je n'ai rien à faire*

*avec vous ici.*

Et roule, roule Citrouillette,
roule doucement,
quitte le potager en souriant
à pleines dents.

Elle dévale le sentier,
et croise un fantôme
près du château hanté.

– Arrête-toi jolie petite
citrouille ! dit celui-ci.
Amusons-nous à faire
mourir les gens de trouille.
Montrons grimaces
et mauvaise mine
en cette nuit d'Halloween.

– Ah non, alors !
Si je me suis sauvée
du potager,
ce n'est pas pour rester
au château hanté !

Et elle entonne :

*Les grimaces, ça m'agace.*

*Pour moi, faire peur,*

*c'est l'horreur.*

*Je suis une citrouille*

*qui sourit.*

*Je n'ai rien à faire avec toi ici.*

Et roule, roule Citrouillette,
roule rapidement
en souriant à pleines dents.

Elle dépasse quelques maisons,
bondit de ruelles en ruelles,
et croise un chat noir
à côté d'une poubelle.

– Arrête-toi jolie petite citrouille ! dit celui-ci. Amusons-nous ensemble à faire mourir les gens de trouille. Montrons grimaces et mauvaise mine en cette nuit d'Halloween.

– Ah non ! Je me suis sauvée
loin du potager
et du château hanté,
alors rester sur une poubelle
avec toi... pouah !...
certainement pas !

Et elle entonne :

*Les grimaces, ça m'agace.*

*Pour moi, faire peur,*

*c'est l'horreur.*

*Je suis une citrouille*

*qui sourit.*

*Je n'ai rien à faire*

*avec toi ici.*

Et roule,
roule Citrouillette,
roule si rapidement
qu'elle n'est plus
qu'un grand sourire,
un sourire à pleines dents.
Roule, roule si rapidement
qu'elle ne voit plus rien
devant, et BOUM !,
se cogne brutalement
contre les jambes
de Petit-Jean.

– Aaaah ! crie celui-ci surpris.

–Ouille, ouille, ouille !
grogne Citrouillette,
j'ai l'intérieur tout remué
et la tête en purée.
Mais que fais-tu tout seul ici ?

–Oh ! répond Petit-Jean,
tous mes amis montrent
grimaces et mauvaise mine
en cette nuit d'Halloween.
Mais les grimaces,
ça m'agace. Pour moi,
faire peur, c'est l'horreur.

– Tu es comme moi,
car je suis une citrouille
qui sourit. Devenons amis
et amusons-nous cette nuit.

Ils chantent alors
sur le chemin,
l'un dansant, l'autre roulant,
pour offrir leur sourire
aux gens.

# Autres titres de la collection

**Petite sorcière a peur de tout!**
Comment faire lorsqu'on est une sorcière, et qu'on se cache au moindre bruit ?

**Sorcitrouille et Princesse Grenouille**
Crapaud Laid est inquiet. Sa Princesse Grenouille est retenue prisonnière par l'affreuse Sorcitrouille…

**Victor Tropetit**
Victor est si petit que personne ne lui demande de l'aide. Mais lorsqu'un géant arrive dans le village…

**Le Méchant Loup du soir**
Vincent est effrayé. Il a cru voir le Méchant Loup caché dans sa chambre…

**Le petit carnet d'Archibald**
Un matin, Petit Jean trouve sur sa route le carnet de l'enchanteur Archibald, qui peut exaucer tous les vœux…